P9-CFX-745

FOLIO CADET

Marguerite Yourcenar

illustré par Georges Lemoine

GALLIMARD JEUNESSE

Le vieux peintre Wang-Fô et son disciple Ling vagabondaient le long des routes du royaume des Han. Le royaume des Han : c'était le nom qu'en ce temps-là on donnait à la Grande Chine.

Personne ne peignait mieux que Wang-Fô les montagnes sortant du brouillard, les lacs avec des vols de libellules, et les grandes houles du Pacifique

vues des côtes. On disait que ses images saintes exauçaient d'emblée les prières ; quand il peignait un cheval, il fallait toujours qu'il le montrât attaché à un piquet ou tenu par une bride, sans quoi le cheval s'échappait au grand galop du tableau pour ne plus revenir. Les voleurs n'osaient pas entrer chez les gens pour qui Wang-Fô avait peint un chien de garde.

Wang-Fô aurait dû être riche, mais il aimait mieux donner que vendre. Il distribuait ses peintures à ceux qui les appréciaient vraiment, ou bien les tro-

quait contre un bol de nourriture. Il ne chérissait que ses pinceaux, ses rouleaux de soie ou de papier de riz, et ses petits bâtons d'encres de diverses couleurs qu'il frottait contre une pierre pour en mélanger la poudre avec un peu d'eau.

Ling, en échange de ses leçons, lui donnait tous les soins qu'un disciple doit à son maître. Il mendiait du riz quand Wang et lui étaient à court de piécettes d'argent ; et, quand les gens étaient trop avares pour donner, il volait. Il massait le soir les pieds fatigués du vieux, et, le matin, il se levait de très bonne heure pour aller voir aux alentours s'il n'y avait pas un paysage que le maître aimerait peindre.

Un soir, au soleil couchant, ils atteignirent les faubourgs de la capitale, et Ling chercha pour Wang-Fô une auberge où passer la nuit. Le vieux s'enveloppa

dans des loques et Ling se coucha contre lui pour le réchauffer, car le printemps commençait à peine, et le sol de terre battue était encore gelé. Ling souffrait de la saleté de l'auberge, mais le vieux s'enchantait des ombres tremblotantes

qu'une maigre lampe jetait sur les murs et des étranges dessins que faisaient au plafond les traces de la suie. A l'aube, des pas lourds retentirent dans les corridors, et des commandements criés en langue barbare. Ling frémit, se rappelant

qu'il avait volé la veille un gâteau pour le repas du maître. Ne doutant pas qu'on ne vînt l'arrêter, il se demanda qui aiderait demain le vieux à passer le gué du prochain fleuve.

Les soldats entrèrent avec des lanternes. La flamme filtrant à travers le papier bariolé mettait sur leurs visages des reflets rouges, jaunes et bleus. Ils rugissaient comme des bêtes fauves et la corde de leur arc vibrait à chaque cri. L'un d'eux posa rudement la main sur la nuque de Wang-Fô, qui ne pouvait s'empêcher d'admirer la broderie de leurs manteaux.

Soutenu par son disciple, Wang-Fô les suivit en trébuchant le long des routes inégales. Les passants attroupés se moquaient de ces voleurs qu'on menait sans doute exécuter. A toutes les questions de Wang les soldats répondaient

par une grimace sauvage. Ses mains ligotées souffraient, et Ling désolé regardait son maître en souriant, ce qui était pour lui une façon plus tendre de pleurer.

Ils arrivèrent sur le seuil du palais impérial, dont les murs violets mettaient en plein jour un pan de crépuscule. Les soldats firent franchir à Wang-Fô des salles rondes ou carrées dont les formes symbolisaient les saisons, les points cardinaux, la lune et le soleil, la longévité et la Toute-Puissance. Les portes tournaient sur elles-mêmes en émettant des notes de musique et leur agencement était tel qu'on parcourait toute la gamme en traversant le palais de l'aube au couchant. Enfin, le silence devint si grand qu'on osait à peine respirer ; un esclave souleva un rideau, et la petite troupe entra dans la salle où trônait le Fils du Ciel.

C'était une grande pièce soutenue seulement par d'épaisses colonnes de pierres bleues. Un jardin s'épanouissait tout autour, et chaque

fleur de ses bosquets appartenait à une espèce rare venue d'au-delà les océans. Mais elles étaient sans parfum, de peur que les méditations du Dragon Céleste ne fussent troublées par les bonnes odeurs. Un mur énorme séparait le jardin du reste du monde, afin que le vent qui passe sur les quartiers des pauvres et les champs de bataille ne pût se permettre de frôler la manche de l'Empereur.

Le Maître Céleste était assis sur un trône de jade, et ses mains étaient ridées comme celles d'un vieillard, bien qu'il eût à peine vingt ans. Comme ses courti-

sans, rangés au pied des colonnes, tendaient l'oreille pour recueillir le moindre mot sorti de ses lèvres, il avait pris l'habitude de parler toujours à voix basse.

– Dragon Céleste, dit Wang-Fô prosterné, je suis vieux, je suis pauvre, je suis faible. Tu es comme l'été ; je suis comme l'hiver. Tu as Dix Mille Vies ; je n'en ai qu'une, et qui va finir. Que t'ai-je fait ? On a lié mes mains, qui ne t'ont jamais nui.

– Tu me demandes ce que tu m'as fait, vieux Wang-Fô ? dit l'Empereur.

Sa voix était si douce qu'elle donnait envie de pleurer. Il leva sa main droite, que les reflets du pavement de jade faisaient paraître verte comme une plante

ne m'agitât le cœur. Personne, sauf quelques vieux serviteurs qui se montraient le moins possible, n'avait le droit de franchir mon seuil, de crainte que l'ombre de ces passants ne s'étendît jusqu'à moi. La nuit, quand je ne parvenais pas à dormir, je regardais tes peintures, et, pendant dix ans, je les ai regardées toutes les nuits. Le jour, assis sur un tapis dont je savais par cœur les dessins, reposant mes mains sur mes genoux de soie jaune, je me représentais le monde, le pays de Han au milieu, pareil à la plaine creuse et monotone de la main que sillonnent les lignes profondes des Cinq Fleuves. Tout autour, la mer où naissent les monstres, et, plus loin encore, les montagnes qui supportent le ciel. Et, pour m'aider à me représenter toutes ces choses, je me servais de tes peintures. A seize ans, j'ai vu se rouvrir les portes qui

me séparaient du monde ; je suis monté sur la terrasse du palais pour regarder les nuages, mais ils étaient moins beaux que ceux de tes crépuscules. J'ai commandé une litière ; secoué sur des routes dont je ne prévoyais ni la boue ni les pierres, j'ai parcouru les provinces de l'Empire sans trouver tes jardins pleins de femmes semblables à des fleurs et tes forêts remplies d'antilopes et d'oiseaux. Les cailloux des rivages m'ont dégoûté des océans ; la laideur des villages m'empêche de voir la beauté des rizières, et le rire épais de mes soldats me soulève le cœur. Tu m'as menti, Wang-Fô, vieil imposteur : le royaume de Han n'est pas le plus beau des royaumes et je ne suis pas l'Empereur. Le seul empire sur lequel il vaille la peine de régner est celui où tu pénètres, vieux Wang, par le chemin des Mille Courbes et des Dix Mille

Couleurs. Toi seul règnes en paix sur des plaines couvertes d'une neige qui ne peut fondre et sur des champs de fleurs qui ne peuvent pas mourir. Et c'est pourquoi, Wang-Fô, j'ai cherché quel supplice te serait réservé, à toi dont les peintures m'ont dégoûté de ce que je possède, et donné envie de ce que je ne posséderai pas. Et, pour t'enfermer dans le seul cachot dont tu ne puisses sortir, j'ai décidé qu'on te brûlerait les yeux, puisque tes yeux sont les deux portes magiques qui t'ouvrent ton royaume. Et puisque tes mains sont les deux routes aux dix embranchements qui mènent au cœur de ton empire, j'ai décidé qu'on te couperait les mains. M'as-tu compris, vieux Wang-Fô ?

En entendant cette sentence, le disciple Ling arracha de sa ceinture un couteau ébréché et se précipita sur l'Empereur. Deux gardes le saisirent. Le Fils du Ciel sourit et ajouta dans un soupir :

– Et je te hais aussi, vieux Wang-Fô, parce que tu as su te faire aimer. Tuez ce gueux.

Ling fit un bond en avant pour éviter que son sang ne vînt tacher la robe du

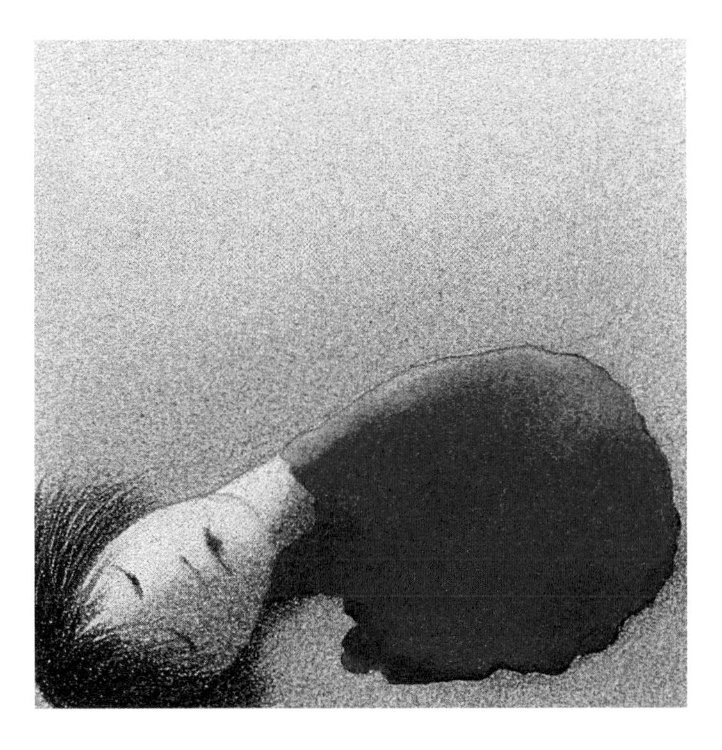

maître. Un bourreau le décapita d'un coup de sabre. Les serviteurs emportèrent ses restes, et Wang-Fô, désespéré, admira la belle tache écarlate que le sang de son disciple faisait sur le pavement de pierre verte.

L'Empereur fit un signe, et deux esclaves essuyèrent les yeux de Wang-Fô.

– Écoute, vieux Wang-Fô, dit l'Empereur, et sèche tes larmes, car ce n'est pas le moment de pleurer. Je possède dans ma collection de tes œuvres une peinture admirable où les montagnes, l'estuaire d'un fleuve et la mer se reflètent, infiniment rapetissés sans doute, mais avec une intensité qui surpasse celle des objets eux-mêmes, comme les figures qui se mirent sur les parois d'une sphère. Mais cette peinture est inachevée, Wang-Fô, et je veux que tu consacres les heures de lumière qui te restent à terminer ton chef-d'œuvre. Tel est mon projet, vieux Wang-Fô, et je peux te forcer à l'accomplir. Si tu refuses, avant ton supplice, je ferai brûler toutes tes œuvres, et tu seras comme un père qui a vu mourir avant lui toute sa postérité.

Sur un signe du petit doigt de l'Empereur, deux esclaves apportèrent respectueusement la peinture inachevée où Wang-Fô avait tracé l'image de la mer et du ciel. Wang-Fô sécha ses larmes ; il sourit, car cette petite esquisse lui rappelait sa jeunesse. Il choisit un des pinceaux que lui présenta un serviteur

et se mit à étendre sur la mer inachevée de larges coulées bleues. L'esclave accroupi à ses pieds broyait les couleurs ; il s'acquittait assez mal de cette besogne, et, plus que jamais, Wang-Fô regretta son disciple Ling.

Wang-Fô commença par teinter de rose le bout d'un nuage posé sur une montagne.

Puis, il ajouta à la surface de la mer de petites rides qui ne faisaient que rendre plus profonde sa sérénité. Le pavement de jade devenait singulièrement humide, mais Wang-Fô, absorbé dans sa peinture, ne remarquait pas qu'il travaillait les pieds dans l'eau.

Le frêle canot grossi sous les coups de pinceau du peintre occupait maintenant tout le premier plan du rouleau de soie. Le bruit des rames s'éleva soudain dans la distance, vif et cadencé comme un battement d'aile. Il se rapprocha, remplit toute la salle, puis cessa, et des gouttes tremblaient, immobiles, suspendues aux avirons du batelier. Depuis longtemps, le fer rouge destiné aux yeux de Wang-Fô s'était éteint sur le brasier du bourreau.

Dans l'eau jusqu'aux épaules, les courtisans, paralysés par l'étiquette, se soulevaient sur la pointe des pieds. L'eau atteignit enfin au niveau du cœur impérial. Le silence était si profond qu'on eût entendu tomber des larmes.

C'était bien Ling. Il avait sa vieille robe de tous les jours, et sa manche droite portait encore les traces d'un accroc qu'il n'avait pas eu le temps de réparer, le matin, avant l'arrivée des soldats. Mais il avait au cou une étrange écharpe rouge.

Wang-Fô lui dit doucement en continuant à peindre :

– Je te croyais mort.

– Vous vivant, dit respectueusement Ling, comment aurais-je pu mourir ?

Et il aida le maître à monter en barque. Le plafond de jade se reflétait sur l'eau,

de sorte que Ling paraissait naviguer à l'intérieur d'une grotte.

Les tresses des courtisans submergés ondulaient à la surface comme des serpents, et la tête de l'Empereur flottait comme un lotus.

– Regarde, mon disciple, dit mélancoliquement Wang-Fô. Ces malheureux vont périr, si ce n'est déjà fait. Je ne me doutais pas qu'il y avait assez d'eau dans la mer pour noyer un empereur. Que faire ?

– Ne crains rien, Maître, murmura le disciple. Bientôt, ils se retrouveront à sec et ne se souviendront même pas que leur manche ait jamais été mouillée. Seul l'Empereur gardera au cœur un peu d'amertume marine. Ces gens-là ne sont pas faits pour se perdre à l'intérieur d'une peinture.

Et il ajouta :

– La mer est belle, le vent bon, les oiseaux marins font leurs nids. Partons, mon Maître, pour le pays au-delà des flots.

– Partons, dit le vieux peintre.

Wang-Fô se saisit du gouvernail, et Ling se pencha sur les rames. Le bruit des avirons remplit de nouveau toute la salle, ferme et régulier comme le battement d'un cœur. Le niveau de l'eau diminuait insensiblement autour des grands rochers verticaux qui redevenaient des colonnes. Bientôt, quelques rares flaques brillèrent seules dans les dépressions du pavement de jade. Les robes des courtisans étaient sèches, mais l'Empereur gardait quelques flocons d'écume dans la frange de son manteau. Le rouleau déployé et achevé par Wang-Fô était posé contre une tenture. Une barque en occupait tout le premier plan. Elle s'éloignait peu à peu, laissant derrière elle un mince sillage qui se refermait sur la mer immobile. Déjà, on ne distinguait plus le visage des deux hommes assis dans le canot. Mais on apercevait encore l'écharpe rouge de Ling, et la barbe de Wang-Fô flottait au vent.

La pulsation des rames s'affaiblit, puis cessa, oblitérée par la distance. L'Empereur penché en avant, la main sur les yeux, regardait s'éloigner la barque de

Wang qui n'était déjà plus qu'une tache imperceptible dans la pâleur du crépuscule. Une buée d'or s'éleva et se déploya sur la mer.

Enfin, la barque vira autour d'un rocher qui fermait l'entrée du large.

Le sillage s'effaça de la surface déserte, et le peintre Wang-Fô et son disciple Ling disparurent à jamais sur cette mer de jade bleu que Wang-Fô venait d'inventer.

FIN

L'auteur et l'illustrateur

Marguerite Yourcenar avait le goût des anagrammes. Quand elle naquit à Bruxelles en 1903, elle s'appelait Marguerite de Crayencour. Plus tard, elle bouleversa son nom et devint Marguerite Yourcenar. Elle voyagea beaucoup puis s'installa définitivement aux États-Unis. Elle enseigna, donna des conférences, mais ce qu'elle préférait était écrire. Elle reçut plusieurs prix littéraires et fut la première femme à entrer à l'Académie française en 1980. Elle adapta pour les enfants, sous le titre *Comment Wang-Fô fut sauvé*, une histoire extraite des *Nouvelles orientales* qu'elle écrivit en s'inspirant de vieux contes chinois. Marguerite Yourcenar est morte le 18 décembre 1987.

Né à Rouen en 1935, **Georges Lemoine** fait des études d'arts graphiques à Paris puis à Rabat au Maroc. Il travaille pour la publicité, la presse, l'édition et a illustré de très nombreux ouvrages pour les enfants. « J'ai l'impression de ne pas avoir illustré cette histoire du peintre Wang-Fô. J'ai seulement marché sur les chemins où lui-même et Ling venaient de passer. J'ai touché le sol gelé de l'auberge et regardé les pavements de jade du palais impérial. » Quant au visage de Wang-Fô, « c'est le visage d'un homme à la respiration lente qui impose à la nature le rythme de son souffle ».

Découvre d'autres contes

La petite fille aux allumettes

de H. C. Andersen illustré par Julie Faulques

La veille du jour de l'An, une petite fille marche seule et pieds nus dans le froid et dans la neige en serrant contre son cœur une petite boîte d'allumettes. Personne ne fait attention à elle : les passants sont pressés de rentrer chez eux préparer la fête. Pour tenter de se réchauffer un peu, la petite fille craque une première allumette, puis une autre…

La patte du chat

de Marcel Aymé illustré par Roland et Claudine Sabatier

En jouant dans la cuisine, Delphine et Marinette cassent un plat en faïence très précieux. Pour les punir, les parents décident de les envoyer chez la méchante tante Mélina, dès le lendemain, s'il ne pleut pas. Pour éviter la punition à ses petites maîtresses, le chat passe la patte derrière l'oreille en faisant sa toilette. Il attire la pluie… et la colère des parents. Heureusement, la solidarité des animaux de la ferme va jouer et sauver la situation.

Petits contes nègres pour les enfants des Blancs

de Blaise Cendrars illustré par Jacqueline Duhême

Connais-tu les histoires qu'écoutent les enfants d'Afrique ? Sais-tu d'où vient le vent ou ce que chantent les souris ? Veux-tu suivre le petit poussin qui va voir le roi et découvrir les mauvais tours de l'oiseau de la cascade ? Ces contes étonnants, pleins de malice et de sagesse, Blaise Cendrars le poète va te les raconter...

Les Minuscules

de Roald Dahl illustré par Patrick Benson

La maman de Billy lui répète sans cesse de ne jamais franchir le portail du jardin pour s'aventurer dans la Forêt Interdite. Et bien évidemment, c'est exactement ce qu'il va faire ! Là, il découvre le monde des Minuscules, ces petits êtres qui peuplent les arbres, mais aussi le grand danger qui les menacent.

Voyage au pays des arbres

de J. M. G. Le Clézio illustré par Henri Galeron

Un petit garçon qui s'ennuie et qui rêve de voyager s'enfonce dans la forêt, à la rencontre des arbres. Il prend le temps de les apprivoiser, surtout le vieux chêne qui a un regard si profond. Il peut même les entendre parler. Et quand les jeunes arbres l'invitent à leur fête, le petit garçon sait qu'il ne sera plus jamais seul.

La Belle et la Bête

de Mme Leprince de Beaumont illustré par Willi Glasauer

Il y avait une fois un riche marchand. Sa fille cadette possédait tant de charmes et d'attraits qu'on l'avait surnommée la Belle. Au fond d'un bois touffu, se trouvait le château de la Bête, un monstre d'une incroyable laideur. Un jour, pour sauver la vie de son père, la Belle doit rejoindre la Bête...

La Barbe-bleue

de Charles Perrault illustré par Jean Claverie

Il était une fois un homme fort riche, qui avait la barbe bleue, ce qui lui donnait l'air cruel. Il avait pris pour épouse la fille cadette d'une charmante voisine. Un jour, la Barbe-bleue annonça à la jeune femme qu'il partait en voyage. Il lui remit son trousseau de clefs en lui disant qu'elle pouvait toutes les utiliser sauf la plus petite, qui ouvrait un cabinet...

La Belle au bois dormant

de Charles Perrault illustré par François Place

Le roi et la reine ont organisé une fête splendide au palais pour le baptême de la petite princesse. Et ils lui ont donné pour marraines toutes les fées du royaume. Hélas, ils avaient oublié d'inviter une vieille fée qui vivait recluse dans sa tour. Pour se venger, elle s'approcha du berceau de l'enfant et lui prédit qu'elle se percerait la main d'un fuseau et qu'elle en mourrait...

Contes pour enfants pas sages

de Jacques Prévert illustré par Laurent Moreau

Une autruche qui mange les cailloux du Petit Poucet, des antilopes mélancoliques, un dromadaire que l'on traite de chameau, un jeune lion qui se fâche avec le dompteur et des ânes qui prennent les hommes pour ce qu'ils sont. Ainsi va le monde pas sage du tout de Jacques Prévert.

Barbedor

de Michel Tournier illustré par Georges Lemoine

Le roi Nabounassar III régnait sur l'Arabie Heureuse depuis plus d'un demi-siècle lorsqu'il découvrit un poil blanc mêlé au ruissellement doré de sa barbe.
Or le soir même, le poil blanc avait mystérieusement disparu. Et ainsi, chaque jour, un poil blanc apparaissait et disparaissait... Quelqu'un avait-il entrepris de voler la barbe du roi ?

Pierrot ou les secrets de la nuit

de Michel Tournier illustré par Danièle Bour

Pierrot le boulanger aime Colombine, son amie d'enfance, sa jolie voisine. Colombine est blanchisseuse et travaille le jour. Petit à petit, elle se lasse de cet amoureux qui travaille pendant que les autres dorment. Passe Arlequin, le peintre aux couleurs de l'arc-en-ciel...

Maquette : Karine Benoit

ISBN : 978-2-07-507843-6
N° d'édition : 373078
Loi n° 49-956 du 16 juillet 1949
sur les publications destinées à la jeunesse
Premier dépôt légal : septembre 1990
Dépôt légal : août 2020
Imprimé en Espagne par Novoprint (Barcelone)